Geschichten von den Nussknackern
und dem alten erzgebirgischen Bergbau

ISBN 978-3-948414-21-4

Die Bande von der Perlaser

ISBN 978-3-948414-25-2

Vom kleinen Jens,
der nicht hören wollte

ISBN 978-3-948414-40-5

Alte Sagen und neue Geschichten von den Moosfrauen und Moosmännern aus dem Vogtland und Umgebung

ISBN 978-3-9819596-4-2

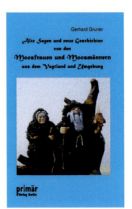

Vogtländische Späße und Schwänke in Haus und Wirtschaft

ISBN 978-3-948414-05-4

Phantastische Weihnachtszeit

ISBN 978-3-948414-10-8

Bildverzeichnis:

Fotoclub 1992 S. 4, 18, 20, 26,28,40

Von Beitragenden über Pixabay
        S. 12 Jill Wellington
        S. 14 Dana Tentis
        S. 16 svklimkin
        S. 74 Mylene2401

G. Gruner   S. 32, 38, 58

M.Gruner   S. 72

Microsoft Edge KI-Copilot
        S. 2, 8,10, 22, 24, 30, 34, 36,
        56, 42, 44, 46, 48, 50, 52,
        54, 60, 62, 64, 66,68, 70,
        76, 78, 80, 82, 84,91

Bisher im Primär Verlag Berlin erschienen:

Der gehetzte Rentner

ISBN 978-3-9818278-6-6

Leben, Hoffnung, Liebe	56
Tu es endlich	56
Sehnsuchtsträume	58
Naturliebe	60
Lieber Mond	62
Liebeshoffnung	64
Liebe	66
Mondvertrauen	68
Lebenswert	70
Kinder	72
Mein bester Freund	74
Faschingsdienstag	76
Weltenbummler	78
Der Augenblick	80
Unsere Welt	82
Unser aller Pflicht	82
Der andere Mensch	84
Nie wieder in den Krieg	86
Nimm an...	88
Rückblick	90

Inhaltsangaben:

Frühling	4
Frühlingssehnsucht	4
Vorfrühling	6
Wetterkapriolen	8
Frühlingsliebe	10
Frühlingserwachen	12
Frühlingsempfindungen	14
Frühlingsgefühle	16
Ostern	18
Sommer	20
Badewetter	20
Sommer	22
Sommerhitze	24
Unwetter	26
Badefreuden	38
Herbst	30
Erste Herbstgrüße	30
Kastanienbaum	32
Herbstwetter	34
Letzte Herbsteindrücke	36
Winter	38
Ein Winterbild	38
Schneeflocken	40
Vorweihnachtszeit	42
Naturweihnacht	44
Kinderweihnachtszeit	46
Wünsche zur Weihnacht	48
Winter	50
Wintertreiben	52
Letzte Winterausläufe	54

*Ich brauchte Reue niemals finden,
seitdem geschworen uns zu binden.
Du gabst mir täglich sehr viel Kraft.
Zärtlichkeit und stetig Liebe,
das sind für uns die schönsten Triebe.
Wir haben es vereint geschafft.*

Rückblick

„Denn wo das Strenge mit dem Zarten,
wo Starkes sich und Mildes paarten,
da gibt es einen guten Klang.
Drum prüfe, wer sich ewig bindet,
ob sich das Herz zum Herzen findet!
Der Wahn ist kurz, die Reu ist lang."

Schillers Reime im Buch so standen.
Nur Wahres wir in Versen fanden.
Gar viele Jahre ist es her.
Ob es geht, recht keiner wusste.
Es kam so, wie es kommen musste.
Uns zu verbandeln fiel nicht schwer.

War groß die Mühe in den Zeiten,
wo niemals sind nur Kleinigkeiten.
Da fanden wir den guten Klang.
Sind beide uns stets treu ergeben.
Ein Herz an Herz bestimmt das Leben.
Nur Einigkeit und niemals Zwang.

*Nimm an, du kannst das verhindern.
Spürst den Drang zur gebündelten
Abwehr dieser Machtsüchtigen.
Erkennst den Rhythmus der Unsäglichen,
die aller Zukunft des Mammons wegen
dem Abgrund zuarbeiten.
Suchst Verbündete für aufklärendes
Handeln.
Alles zum Erhalt des wirklichen Lebens.
Alles für der Menschen kleinen Freuden.
Lässt im zusammenhaltende Chaos das
Erdendasein beharren.
Dann geh und leg der Hybris das alles
zerstörende Handwerk, für den schönsten
Planeten in dieser uns bekannten Welt.*

Gerhard Gruner

Lass die Gedanken fließen

Bibliographische Information der Deutschen Nationalbibliothek. Die Deutsche Nationalbibliothek verzeichnet diese Publikation in der Deutschen Nationalbibliographie; detaillierte bibliographische Daten sind im Internet über http://dnb.de abrufbar.

1. Auflage 2024

Copyright by Primär Verlag Berlin

Alle Rechte vorbehalten

Umschlaggestaltung: Exakt Werbung, Simone Stolz

Endkorrektur: Tijana Gruner

Druck und Bindung: Mazowieckie Centrum Poligrafii

Printed in Poland

ISBN 978-3-948414-47-4

Mein Dank gilt den Mitgliedern des Vereins „Fotoclub 1992" in Berlin - Hohenschönhausen. Mitglieder des Clubs vermittelten einen Teil der Bilder zu diesem Buch.

4

Frühling

Frühlingssehnsucht

*Mach, dass es Frühling werde
und wenn es noch so schneit.
Gar stetig kreist die Erde.
Die Sonne höher steigt.*

*So bring die Luft zum Klingen
und wenn es noch so kalt.
Lass Wärme in uns dringen.
Nur mach es doch recht bald.*

Vorfrühling

*In den Bergen hoher Schnee
und noch kahl die Bäume.
Laue Winde in der Höh.
Sehnsuchtsvoll die Träume.*

*Manche Blume noch versteckt,
ahnt des Frühlings Süße.
Zeigt der Himmel sich bedeckt,
schickt der Lenz doch Grüße.*

*Trotz des Winters fester Hand
ist es mir gelungen,
dass ich diese Blumen fand
in den Niederungen.*

8

Wetterkapriolen

Was ist das nur für Wetter hier!
Nachts eisig und am Tage warm.
Der Lenz lugt durch die Himmelstür,
versprüht schon seinen Charme.

Der Winterwind es nicht mehr schafft.
Kann mächtig blasen, wie er will.
Mit dicken Backen voller Kraft.
Gib auf und halte still!

He Winter, reis' doch endlich ab.
Mit aller Würde zeig Konsens.
Vom Himmel hoch kommt jetzt herab,
lass ein, Gevatter Lenz.

Frühlingsliebe

Ins Helle will das Jahr sich neigen.

Die wärmende Sonne kehrt zurück.

Junger Frühling lässt Hoffnung steigen.

In Verliebten wächst ein sinnlich Glück.

Mit Macht will sich die Liebe zeigen.

Engumschlungen weilt ein junges Paar,

stumm unter weißen Blütenzweigen.

Zärtlich streift der laue Wind ihr Haar.

Frühlingserwachen

Der Frühling erwacht
im sonnigen Schein.
Die Natur ganz sacht
verwandelt den Hain.

Es steigen die Säfte,
küssen wach die Natur.
Jetzt zeigen sich Kräfte,
bringen Wunder hervor.

Auch mir einen Strauß
der blühenden Pracht.
Ich trag ihn nach Haus,
vom Frühling vermacht.

Frühlingsempfindung

*Zartes Grün zeigt sich im Sprießen.
Warm umher streift lauer Wind.
Alle lässt der Frühling grüßen,
der Gezeiten erstes Kind.*

*In der Luft ein Bienensummen,
fliegen zu dem Nektar hin.
Überall ein Frühlingstummeln.
Ich ganz davon verzaubert bin.*

*Nichts kann mich zu Hause halten.
Lauf hinaus in die Natur.
Starke Kräfte in mir walten.
Atme ein den Frühling pur.*

*Leg mich in die grüne Wiese.
Schau den ziehend Wolken zu.
Spür, als ob der Lenz jetzt ließe,
hin zu mir die Himmelsruh.*

Frühlingsgefühle

Mit dir möcht ich gehen,
zusammen im lauen Wind.
Den jungen Lenz besehen,
wo immer wir auch sind.

Mit dir möcht ich tanzen,
unterm blauen Himmelszelt.
Im jungen Grün verschanzen.
Dir zeigen diese Welt.

Mit dir möcht ich träumen,
bei all der lieb Vögel Sang.
Dich küssen unter Bäumen
und necken den Weg entlang.

Mit dir möchte ich schweben,
über Wolken durch den Tag.
Dem Glück entgegen streben.
Ich dich so gerne mag.

20

Sommer

Badewetter

Heute ist das Wetter schön.
Die Sonn steht hoch am Himmel.
Sie lädt ein zum Baden geh'n.
Hinein ins Planschgewimmel.

Schnell zum See lauf ich hinaus.
Das Tuch bereits im Gras.
Behänd zieh die Sachen aus.
Hinein zum Badespaß.

Schwimme in der kühlen Flut.
Genies das prickelnd Wasser.
Köpfer mit viel Wagemut.
Keiner umher springt krasser.

Erschöpft lieg auf der Wiese.
Die Sonne wärmt mich auf.
Mit Wonne das genieße.
Ein Traum nimmt seinen Lauf.

Sommerhitze

Energiegebündelt
wirft das Zentralgestirn,
Prometheus gleich,
sein Feuer vom Himmel.
Ein einziger Aufschrei
in Flora und Fauna.
Rettende Oasen,
randlos gefüllt
mit Eisberge tilgenden
Individuen.

Sommer

Der Sommer ist so wunderschön,
vom Himmel lang die Sonne lacht.
An manchen Tagen weht der Föhn
und lau dazu die Sommernacht.

Zeigt sich von der besten Seite.
Führt viele sanft zum Wasser hin.
Menschen drängt es in die Weite,
nach Reisen steht der Leute Sinn.

Er lädt uns ein zum glücklich sein,
zum träumen unter Sternenpracht.
Bei einem Gläschen goldnen Wein,
spürt man allhier die Himmelsmacht.

26

Unwetter

Einem großen Ungeheuer gleich,
stauen sich dunkle Wolken.
Blitze jagen über'n Horizont.
Regen trommelt die Erde weich.

Bäume verbiegen sich im Wind.
Bringt Kamine zum Heulen.
Finsternis schiebt sich in den Tag.
Elemente die uns schlecht gesinnt.

Urplötzlich bricht ein Sonnenstrahl,
gar durch das dunkle Himmelszelt.
Gebietet dem Unwetter stoisch, Halt!
Den Gewalten bleibt keine Wahl.

Badefreuden

*Ach wie brennt der Planet so heiß.
Nach Kühle verlangt es allen.
Es gibt den Ort, den jeder weiß.
Am Meer wird's uns gefallen.*

*Nur schnell hinaus, zum Wasser hin.
Blau blinkt es mir entgegen.
Ein Schiff gar segelt stolz im Wind.
Hinein ins Nass verwegen.*

*Dabei mich richtig abgekühlt.
Im Sand nun lieg ermattet.
Die Hitze ist wie weggespült.
Das hab ich mir gestattet.*

30

Herbst

Erste Herbstgrüße

Der junge Tag zeigt sich in Grau.
Erste Nebel in den Wiesen.
Wo ist es hin, das Himmelsblau?
Die Natur lässt Grün noch sprießen.

Der junge Tag in Dämmerung.
Regendichte Wolken ziehen.
Doch das Hell bereit zum Sprung.
Düsterheit muss doch entfliehen.

Voller Wärme zeigt sich der Tag.
Sommer rafft die letzten Züge.
Ein jeder tankt so viel er mag.
Sonnenschein gibt's zu Genüge.

Kastanienbaum

*Majestätisch steht ein Baum,
auf des Nachbars Wiese.
Kleine Igel noch im Traum,
woll'n, dass man sie ließe,
ihre Frucht zu Boden fallen.*

*Das der Knollen große Schar,
allsamt sinken nieder.
Hängen platzend offenbar,
wartend still und bieder,
bis sie dann runterknallen.*

*Dort sammeln viele Kinder
die braunen Kugeln ein.
Für manches Tier im Winter
soll's dessen Nahrung sein.
Blätter im Geäste wallen.*

Herbstwetter

*Starke Winde wehen,
Regen zieht durchs Land.
Tief gebeugt so gehen,
Menschen längs der Wand.*

*Durch die Straßen eilen
dick vermummt die Leut.
Kennen kein Verweilen,
viel zu kalt ist's heut.*

36

Letzte Herbsteindrücke

Sonne durchflutet herbstliche Wälder.
Bunte Blätter im Wind sich wiegen.
Tief gepflügt liegen weite Felder,
sich sanft an Hügel und Täler schmiegen.

Wärmende Strahlen verschaffen noch Kraft.
Rehe auf grünen Wiesen grasen.
Bauern haben die Ernte geschafft.
Über Stoppeln rennen ängstliche Hasen.

Geruhsam Menschen über Land spazieren.
Schauen bedächtig in die Natur.
Vögel zum Zug sich oben liieren.
Durch das Land zieht letzte wärmende Spur.

38

Winter

Ein Winterbild

Der Gehsteig zeigt sich verlassen.
Kein Mensch ist hier zu seh'n.
einsam Büsche am Wege steh'n.
Kein Wind weht durch Gassen.

Die Straße zieht am Haus vorbei,
führt in die Welt hinaus.
Zwei Tannen vor dem großen Haus.
Schnee will, dass weiß es sei.

Ein Zaun umringt das Gartenstück.
Hat einen Schneehut auf.
Die Birken schau'n von oben drauf.
Es ist des Häuslers Glück.

Schneeflocken

Elfenhaft tanzen Sterne,
sanft auf den Boden nieder.
Ihr Reigen zeigt uns wieder,
die Schönheit aus der Ferne

Hüllen die Natur in Ruh.
Zugeschneit sind Feld und Wald.
Raue Winde fegen eisig kalt,
über das Weiß vom Norden zu.

Vorweihnachtszeit

Zeitig entflieht das Tageslicht.
Ringsumher blinken Lampen auf.
Die Sterne nehmen ihren Lauf.
Der Abend auf uns nieder bricht.

Unzählig schweben weiße Flocken,
herab vom großen Himmelszelt.
Die Kinder haben Schnee bestellt.
In den Herzen ist Frohlocken.

Herbei ersehnt die Weihnachtszeit,
voller Freude und mit Hoffen.
Viele Wünsche stehen offen.
Bis dahin ist es nicht mehr weit.

Naturweihnacht

Sachte tanzen weiße Flocken,
nieder auf erstarrte Erde.
Weit entfernt erklingen Glocken,
sagen, dass es Weihnacht werde.

Das ganze Tal in Ruh gehüllt,
lauscht still der Türme Klänge.
Natur umher von Frost erfüllt,
weißbetucht die sanften Hänge.

Abends webt das Himmelszelt,
unverdrossen emsig Sterne.
Reiht sie auf, wie's ihm gefällt,
für die Weihnacht in der Ferne.

Kinderweihnachtszeit

Wie schön war doch die Kinderzeit.
Erst recht so ein Winterleben.
Zu Weihnacht hat es oft geschneit.
Schön'res konnte es nicht geben.

Wie schön war die Weihnachtszeit.
Schaufenster reich geschmückt.
Wir drückten uns die Nasen breit.
Deren Auslagen uns beglückt.

Wie schön war der Heilig Abend,
als alles in Erwartung stand.
Im Rund uns am Stollen labend,
bevor man in die Kirche fand.

Wie schön war dann die Bescherung.
Geschenke wurden hervorgeholt.
Der Ruprecht gab manch Belehrung,
doch Kinder wurden nie versohlt.

Wünsche zur Weihnacht

Die besten Wünsche euch zum Fest.
Bleibt locker und auch ungestresst.
Erst den Turbo runterschalten,
dann dazu lasst Liebe walten.

Hingabe und viel Herzblut schenkt.
Auch an bedürftig Menschen denkt.
An Weihnachten nur kein Verdruss,
hingegen zeigt den Schulterschluss.

Zusammen lasst das Fest begehen.
Friedlich wird man sich verstehen.
Wenn dann das Herze sich erhellt,
spürt jeder diese schöne Welt.

Winter

*Dicht vermummt eilen morgens
getrieben vom eisigen Wind,
die Menschen.*

*Strampelnd an den Haltestellen
 trotzen sie am jungen Tag,
der Kälte.*

*Die aufgehende Sonne einsaugend
vereinnahmen sie belebend,
die Wärme.*

*Das helle Rot der Wangen wetteifert
mit der weißen klirrenden Starre,
des Winters.*

52

Wintertreiben

Von den Dächern hängen Zapfen.
Durch die Straßen bläst kalter Wind.
Über'n Schnee die Leute stapfen.
Wollen nach Hause ganz geschwind.

Die Rangen freu'n sich im Winter.
Alle trotzen sie der Kälte.
Auf den Bergen rodeln Kinder,
bis es dunkel wird in Bälde.

Abends sitzend in den Stuben,
wenn Sterne hoch am Himmel steh'n,
die müden Mädchen als auch Buben.
Möchten bald zu Bette geh'n.

Letzte Winterausläufe

Der Winter geht bald vorbei,
vom Himmel lacht die Sonne.
Schnee ist nur noch Matschebrei,
die Tage voller Wonne.

Jedoch nicht zu früh gefreut,
unser Gauner hat noch Macht.
Manch Blume hat das bereut,
wenn zu zeitig sie erwacht.

Sternennacht ist eisigkalt.
Geschickt webt weiße Kleider.
Sind dünn und vergehen bald,
muss er doch ziehen weiter.

Leben, Hoffnung, Liebe

Tu es endlich

So gehen ich und meine Kleine
durch den großen Park der Stadt.
In meinem Arm du kleine Feine.
Rings umher bunte Farben satt.

Mir ist mit uns, als ließe diese
Zeit mich niemals von dir los.
Von deinem Duft spür diese Süße.
Warum bin ich so verlegen blos?

Ich ahne, dass wir küssen müssen.
Die Frage ist, endlich wann?
Man sollte dieses müssen wissen.
Siehst mich mit großen Augen an.

Sehnsuchtsträume

Siehst du nicht die Wolken zieh'n?
Mit ihnen möcht ich schweben.
Gemeinsam dem Tag entflieh'n.
Das Schönste dort erleben.

Siehst du nicht das Wolkenkleid?
Hinter dem die Sonne lacht.
Verträumt gehen wir zu zweit.
In den Arm nehm' dich ganz sacht.

Siehst du nicht das Wolkenzelt?
das weit über uns sich breitet.
Drüber ist die heile Welt.
Die Zukunft darin schreitet.

Naturliebe

*Zwischen mächtig hohen Bäumen
eine Wiese sich hinzieht.
Drauf lässt es sich gut träumen,
manch Blume auf ihr blüht.*

*Herrlich leuchtet eine Rose.
Ihr Duft ist gar recht fein.
Hüte sie in meinem Schoße,
das zarte Blümelein.*

*Alle Zeit will sie umhegen,
bei Tag und in der Nacht.
Zärtlich an mein Herz sie legen,
dort strahle ihre Pracht.*

Lieber Mond

Lieber Mond ich sehe dich so gerne.
Du leuchtest stetig vor mich hin.
Neben dir blinken tausend Sterne.
Des Nachts ich auf der Straße bin.

Lauf zufrieden durch der Wälder Schatten.
Wenn die Natur im Lichte steht,
kommt dein Schein mir sehr zustatten.
Meine Angst, wie vom Wind verweht.

Du bist hoch am Himmel mein Begleiter.
So gänzlich still zeigst mir den Weg.
Mit dir zusammen zieh ich weiter.
Großen Dank, in dein Leuchten leg.

Liebeshoffnung

Sehr weit ist sie entfernt.
Für mich aber doch recht nah.
Dort hält sich meine Lieb verborgen,
träum gar von ihr bis in den Morgen.
Ich sie lange nicht mehr sah.
Das Warten hab gelernt.

Einst ist sie wieder da.
Kann Hände ihr gleich reichen.
Dann tobt der Reigen zweier Herzen
im Hochgefühl sowie im Scherzen.
Nie werd ich von dir weichen.
So sei mir immer nah.

Liebe

*Liebe vermag mit Schwingen gleich,
steigen ins Firmament.
Zu schweben über Wolken weich,
durch nichts ist sie gehemmt.*

*Sie brennt wie ein Inferno heiß,
entflammt die sehnend Brust.
Erst schleicht sie wie auf Zehen leis,
dann stürmisch ist die Lust.*

*Oft ist sie voller Zärtlichkeit,
ganz sanft und auch so rein.
Als Quell in die Unendlichkeit
soll sie Begleiter sein.*

Mondvertrauen

Ich laufe in des gleißend Licht.
Geschützt vom Strahlenheer.
Trotz Nacht mein Auge alles blickt,
als lichter Tag es wär.

Schöner Mond, bist mein Begleiter.
Treu läufst du mit mir mit.
Selbst wenn es zu der Liebsten geht,
hälst immer dabei Schritt.

Wenn dunkle Wolken scheiden uns
in der Dämonennacht.
Dann bleib ich lieber ungeküsst,
zuhause mit Bedacht.

Lebenswert

Das Leben, das ist Sonnenschein,
sind Freunde, Tanz und gold'ner Wein.
Die Menschen, die zu einem steh'n
und Lieder, die zu Herzen gehen.

Sind Wolken, die am Himmel zieh'n.
Die Blumen, die auf Wiesen blüh'n.
Mit meinem Partner herzhaft lachen
und Liebe das sind feine Sachen.

Sind Tiere an des Feldes Rain.
Die Vögel hoch im Sonnenschein.
Der Wälder leises Wipfelsäuseln
und Wellen, die sich stetig kräuseln.

Sind aller Wässer klarer Quell.
Der Morgenröte blasses Hell.
Der weiten Felder gold'ne Ähren
und Leute die sich Stürmen wehren.

Das Leben bleibt das höchste Gut.
Nimm's an, und nie verlier den Mut.
Sich etwas gönnen ist nicht verkehrt
und das alles macht es lebenswert.

72

Kinder

Kinder wollen zusammen tanzen,
hopsen den ganzen Weg entlang.
Im Buddelkasten Löcher schanzen,
selbst vorm Raufen sind nicht bang.

Kinder haben oft bunte Träume,
malen farbig ihre Zukunft aus.
Klettern gar auf hohe Bäume,
müssen in die Natur hinaus.

Kinder möchten friedlich leben,
mit ihren Nächsten glücklich sein.
Nur Liebe sollt ein jeder geben.
Ihr Eltern, lasst sie nie allein.

Mein bester Freund

Wuschlig gelb ist dein weiches Fell.
Mit großen Augen schaust mich an.
Wenn Angst ich hab, bist du zur Stell.
Ich drück dich dann, so fest ich kann.

Weichst mir niemals von der Seite.
Gemeinsam schlafen wir im Bett.
In der Nacht suchst nie das Weite.
Wie immer bleibst du lieb und nett.

Bist mein bester Freund auf Erden.
Bei dir werd' all den Kummer los.
Ich und du, wir sind Gefährten.
Die Freundschaft Teddy, ist so groß.

Faschingsdienstag

Überall im Land sich Narren zeigen.
Bald ist Schluss mit der fünften Zeit.
Sie führen auf, ihren bunten Reigen.
Aschermittwoch ist nicht mehr weit.

Noch einmal schnell die Zeit genießen.
Auf den Straßen ein Gewimmel.
Die Faschingszeit woll'n auch beschließen,
ne fesche Maid und ein Lümmel.

Küsst er sie doch ganz unverhohlen.
Am lichten Tag recht ungestüm.
Erst blickt sie um sich ganz verstohlen,
doch dann will sie noch mehr von ihm.

Weltenbummler

Ich will hinaus in diese Welt,
zur Ferne zieht's mich hin.
Mit Stock und Hut, so wie's gefällt,
nach Wandern steht der Sinn.

Mit meinen Augen schau das Bunt.
Entdecken manches Ding.
Verkehr im weiten Erdenrund,
hübsch' Lieder dazu sing.

Wenn nachher ich mich satt geseh'n,
dann kommt man gern zurück.
Auch gebe allen zu versteh'n,
Entdecker sein ist Glück.

Der Augenblick

Salzige Wässer wallen
gegen den sandigen Strand.
Lichtdurchflutet stehen wenige Wolken
hoch am Himmel.
Das Blau des Meeres wetteifert
mit dem Blau des Alls.
Weiße Segel durchpflügen die Wellen
im schralenden Wind.
Spielendes Kinderlachen bricht sich
in den aufgetürmten Dünen.
Die Sonne steht genau im Zenit
der alten Leuchtturmkuppel.
Ein phantastischer Augenblick
für einen geübten Fotografen.
Instinktiv der sofortige Griff
in die Tasche an meiner Seite.
Sie ist leer!!!

Unsere Welt

Unser aller Pflicht

Du, meine liebenswerte Welt.
Für uns hast dich so schön gemacht.
Auf Erden alles hingestellt.
Zeigst alltäglich deine Pracht.

Friede steht dir im Angesicht,
voller herzenswarmer Güte.
Zu dir stehen wir in der Pflicht.
Ein jeder dich behüte.

Alle müssen zusammensteh'n.
Bewahren deine Erdenkraft.
Und niemals darf es je gescheh'n,
von Menschenhand dahingerafft.

Der andere Mensch

*Eitel sei der Mensch,
selbstsüchtig und schlecht.
Er setze sich durch
und poch auf sein Recht.*

*Geizig sei er auch,
gen sich und die Welt.
Und raffen dazu,
so wie's ihm gefällt.*

*Je schnöder er ist,
so höher er schwebt.
Bis hoch in die Macht,
hat niemals gelebt.*

Nie wieder in den Krieg!

*Stell dir vor, es ist wieder Krieg
und keiner von uns geht hin.
Für einem räuberischen Sieg
ist jeder Anlass ohne Sinn.*

*Die Generäle stehn alleine
auf dem weiten Todesfeld.
Soldaten haben sie keine.
Uns das Töten nicht gefällt.*

*Verrat!, schreien die Reichen.
Sie bekommen nie genug.
Alle setzen hier ein Zeichen
gegen deren Volksbetrug.*

*Sollen die den Kampf doch führen,
in der mörderischen Schlacht.
Gar am eigenen Körper spüren,
was der Krieg aus ihnen macht.*

Nimm an...

*Nimm an, die Kugel ist zerbrochen.
Zerstört von den wenigen bestimmenden
Wahnsinnskräften.
Niemals mehr schiebt die wärmende
Morgensonne das aufgehende Licht in den
Erdentag.
Das Leben ist auf ewig in die Kälte des
Universums entschwunden.
Kein Kinderlachen erfreut die Herzen.
Kein Liebreiz begegnet einer Seele.
Das zusammenhaltende Chaos hat die
Atmung eingestellt.
Ein schwarzes Loch ist dort, wo sich noch
drehte, der schönste Planet in dieser uns
bekannten Welt.*